U0064428

劉福春・李怡 主編

民國文學珍稀文獻集成

第三輯

新詩舊集影印叢編　第99冊

【王獨清卷】

威尼市

上海：創造社出版部 1928 年 8 月初版

王獨清 著

11-Dec

1928 年 11 月出版

王獨清 著

埃及人

上海：世紀書局 1929 年 2 月初版

王獨清 著

花木蘭文化事業有限公司

國家圖書館出版品預行編目資料

威尼市／11-Dec／埃及人／王獨清　著 — 初版 — 新北市：花木蘭
文化事業有限公司，2021〔民 110〕

78 面／40 面／48 面：19×26 公分

（民國文學珍稀文獻集成・第三輯・新詩舊集影印叢編　第 99 冊）

ISBN 978-986-518-473-5（套書精裝）

831.8　　　　　　　　　　　　　　　　　　　　10010193

ISBN-978-986-518-473-5

9 789865 184735

民國文學珍稀文獻集成　・　第三輯　・　新詩舊集影印叢編（86-120 冊）
第 99 冊

威尼市
11-Dec
埃及人

著　　者　王獨清
主　　編　劉福春、李怡
企　　劃　四川大學中國詩歌研究院
　　　　　四川大學大文學學派
總 編 輯　杜潔祥
副總編輯　楊嘉樂
編　　輯　許郁翎、張雅淋、潘玟靜　美術編輯　陳逸婷
出　　版　花木蘭文化事業有限公司
社　　長　高小娟
聯絡地址　235 新北市中和區中安街七二號十三樓
　　　　　電話：02-2923-1455／傳眞：02-2923-1452
網　　址　http://www.huamulan.tw 信箱 service@huamulans.com
印　　刷　普羅文化出版廣告事業
初　　版　2021 年 8 月
定　　價　第三輯 86-120 冊（精裝）新台幣 88,000 元

威尼市

王獨清 著

創造社出版部（上海）一九二八年八月初版。原書五十開。

創 造 社 叢 書

第 二 十 九 種

威 尼 市

王 獨 淸 著

王 一 榴 作 畫

上 海

創 造 社 出 版 部

1928

本書著者的著作鳥瞰

1. 聖母像前　　　（詩集）

2. 死前　　　　　（詩集）

3. 威尼市　　　　（詩集）

4. 埃及人　　　　（詩集；在印）

5. 前後　　　　　（文札集；在印）

6. 楊貴妃之死　　（戲劇）

7. 貂蟬　　　　　（戲劇；在編）

8. 葬列　　　　　（小說集；在編）

上海 創造社 出版 部 廣告

威 尼 市

1928　　7　　1　　付排

1928　　8　　15　　初版

1——2000冊

每冊實價大洋三角

代　　序

　　S喲，為實踐對於你的信約，我
現在把這幾首短歌從我底破皮包中
檢出來了．

　　這幾首短歌都是我住在威尼市
的時候寫的，我把牠們放在我底破
皮包中已經過了兩年多的時光，因
為我曾對你說過我打算把牠們公
開，所以今日費了點時間，終竟給檢

2　　威　尼　市

　　了出來履行我所說的這一句話。

　　S喲，我把這幾首短歌從新讀了一遍，我自己也不覺吃了一驚．我從前對於Stimmungskunst的傾心，眞算達到發狂的狀態了．你只把這幾首短歌中的任何一首挑出來細細地讀一下罷，你看我對於音節的製造，對於韻腳的選擇，對於字數的限制，更特別是對於情調的追求，都是做到了相當可以滿意的地步．若是用 Poésie pure 作意義的眼光來下一個定評時，那我總算是有些成績

代　序　　3

　　的了. 哦, S 喲, 我過去的生命就完
全送葬在這種個人的藝術之創作裏
面, 不說別的, 只就我曾在某個時
期爲你另外做的那幾首 Sonnets 來
說, 也可以看出我對於這方面的勞
力. 你說! 我過去的生命就都這樣送
葬了, 我從前過的到底是一種甚麼
生活? 我到底做了些甚麼? 做了些甚
麼?

　　現在我算是醒定了: 我巳經決
心再不作這些無聊的囈語, 我要把
我底生活一天一天地轉移到大衆方

4 　 威 　 尼 　 市

面，我要使我底生命一天一天地緊
張下去．我回顧我過去許多無意義
的努力，眞使我憎恨到不可言狀．
我底汗和眼淚簡直要一齊流了下來
呢．

哦，S 喲，我還記得你從前給我
的信裏面曾說你希望我始終是一個
詩人，要是這幾首短歌便是你所希
望的‘詩人’底表現時，那我還是快
成爲‘死人’的好罷！

現在我算是醒定了．不過，S
喲，我怕我們兩個底交情，却漸漸地

代　　序　　5

要冷淡下去了！這個一點也沒有甚麼奇怪．因為我從前的生活是完全被一種傷感的享樂主義者底氣分所支配，所以我底情緒和思想也可以和你打成一片，現在我底生活已經在漸漸地轉變方向，我底情緒和思想當然要和你分離．像我從前那種對於你的陶醉，恰好同我對於Stimmungskunst傾心的狀態一樣：在那種傾心之中，我創作出了些一時相當滿意的作品；在那種陶醉之中，我得了你許多使我一時忘我的安慰．

6　　威　　尼　　市

　　但是，有甚麼意思呢！這種自我的催眠和個人間的享樂，終究有甚麼意思呢！S喲，現在我算是醒定了，我底世界將再不是你底世界。

　　當然，我是知道的，一個人底行動是很難預料。或者，S喲，你也可以慢慢地我和走在一條路上，使我們底交情能夠恢復起來呢。不過這個終是一個空空的希望，像你底那種環境，我怕是不容易能夠做到的罷？

　　哦，S喲，我望你珍重！總之，我

代　　序　　7

　　還是為實踐對於你的信約，把這幾
首短歌檢了出來，可是我已經用我
心中的炸彈把威尼市炸得粉碎了！

　　　　獨清．一八，六月，一九二八．

是誰在邢兒緩緩地輕歌，
在打動着我有病的心窩？
我無言地在這橋上走過，
好像是帶着傷感的虛弱⋯

我無言地靜伏着水邊的欄杆，

啊，鬱人的呀，這是誰在拉着提琴底長絃？

10　　威　　尼　　市　　1

橋下的水流得是這樣的平和，

啊，迷人的呀，這是誰在那兒緩緩地輕歌？…

是誰在拉着提琴底長弦，

正當着不陰不晴的今天？

這像是使空氣起了震顫，

I　　　威　　　尼　　　市　　　11

像是蒼白了遲慢的時間…

我無言地靜伏着水邊的欄杆，

啊，鬱人的呀，這是誰在拉着提琴底長弦？…

天氣是像要下雨又不肯下．

你唱完了輕歌在整着頭髮．

你好像是不願和我說話，

我正要想些話來問你，

我斟滿了一杯酒給您,
你却只用脣兒輕輕地一呷。

14	威 尼 市	II

你却只是把你底眼瞼低壓…
哦,你,你坐下,坐下!

天氣是像要下雨又不肯下。
你露出了一種有病的疲乏。
你唱歌時聲兒用得過大,

II　　　威　　尼　　市　　　15

　　我斟滿了一杯酒給你，

　　你却只用唇兒輕輕地一呷…

　　哦，你，你坐下，坐下！

III

我們在乘着一隻小舟，
却都默默地相對低頭。

我們在乘着一隻小舟，
却都默默地相對低頭，
這小舟是搖得這般的緊急，
使我心中起了傷別的憂愁。

| 18 | 威 | 尼 | 市 | III |

憂愁, 憂愁, 憂愁,
我知道你呀, 你是不能挽留!

這河水是泛瀾着深綠,
幾片落花在水面輕浮:
我們都正和這些落花一樣,

III 威 尼 市 19

或東或西或南或北地飄流。

飄流，飄流。飄流，

我知道你呀，你是不能挽留！

唵,你底聲音!
正像是 San Marcs 教堂底晚鐘。

俺，你底聲音！俺，你底聲音！

正像是 San marco 教堂底晚鐘，

儘管在把我底心來打動：

我不知道是快樂還是驚訝，

22 威 尼 市 IV

我不知道是虔敬還是痴瘋…
我只知道聽到牠的時候，
便恨不得全靈魂和牠溶化！

唵，你底眼睛！唵，你底眼睛！
正像是這Rialto 橋下的碧水，

IV　　威　　尼　　市　　23

儘管在使我底心頭沉醉：
這水好像在流動又像停滯，
這水好像在憂鬱又像嬌癡…
我，我一到看見牠的時候，
便恨不得教牠來把我淹死！

V

這陽光曬得我好懶，好懶！

啊，你為甚麼儘管在靠着這遊廊底欄杆？

你為甚麼今日分外的弱倦？

你怎麼不見露一點兒微笑，

啊，我在你的後邊，
慢慢，慢慢‥‥‥

| 26 | 威 | 尼 | 市 | V |

却帶愁地用手兒這樣支着頷尖?
啊,我,我走到你底面前,
慢慢,慢慢…

這陽光曬得我好懶,好懶!
啊,你爲甚麼繞着欄杆默默地走去走還?

V　　威　尼　市　　27

你為甚麼只是在垂着兩眼？

你莫非是心中萬般的無聊，

在這樣數着這遊廊地上的花磚？

啊，我，我跟在你底後邊，

慢慢，慢慢⋯

我靠在開着的 Vitrail 底旁邊，
向着春夜底時間閉起了兩眼。

我靠在開着的 Vitrail 底旁邊，
向着春夜底時間閉起了兩眼。
我讓這柔風，來把我底臉龐拂吹，
我輕輕地感着些撫摩，又感着些壓迫，

30	威	尼	市	VI

唉，我不曉得，我不曉得我現在的臉龐是潤
　　白,抑是蒼白…
總之,微溫,微溫,微溫,微溫,
這春夜底時間,真微溫得有些醉人!

我靠在開着的Vitrail底旁邊,

VI 威 尼 市 31

向着春夜底時間閉起了兩眼。

我甚麼事也不想,甚麼話也不說,

我底心臟,像增加了一種煩躁的懦弱,

唉,我講不的確,我講不的確我這心臟是好
　　過,抑是難過…

總之,微温,微温,微温,微温,

| 32 | 威 | 尼 | 市 | VI |

這春夜底時間，眞微溫得有些醉人！

你說你這次走後是再不回轉，
你說你起身的時期就是明天，
怪不得你底臉色是這樣的難看，
你底手放在了琴瓣上邊，

你底手放在琴瓣上邊，
總是想彈又不想彈‥‥

| 34 | 威 | 尾 | 市 | VII |

卻總是想彈又不想彈 …

那麼你快來把你底頭兒緊靠在我底胸前，不
　要勛轉，

那麼你快來先靠着我坐個半天！

你說你這次走後是再不回轉，

VII　　威　尼　市　　35

你說你起身的時期就是明天。

怪不得你儘管在這樣向我癡看，

你底話像是已到了口邊，

卻總是想談又不想談…

那麼你快來把你底頰兒偎在我底胸前，不要
　　勛轉，

36　威　尼　市　VII

那麼你快來先偎着我坐個半天！

VIII

你 這月下的歌聲，月下的歌聲，
把你底

嘵舌的詞句

用這樣狂熱的音調

38　　威　　尼　　市　　VIII

傳來，

在這快要沉靜的時間裏

使人凝神地聽去，

真要感覺到

一種帶着不調和的震顫的悲哀⋯

我，我在夜半的 Rio 底橋頭立定，

VIII　　威　　尼　　市　　39

接受着這將近休息的 Canaval 底歌聲.
唵,這眞像是住在了夢中,
不過我底前胸,在痛,在痛…

你這月下的歌聲,月下的歌聲,
把你底

| 40 | 威 | 尼 | 市 | VIII |

憂鬱和放肆

交給這冷風向四面

送揚，

就儘管這樣忽高忽低地

訴出許多的往事，

使人底心尖

VIII　　威　　尼　　市　　41

在個被迫害的搖動中受着重傷…
我，我在夜半的 Rio 底橋頭立定，
沉迷着這就要入眠的 Canaval 底歌聲。
唵，這真像是墮在了夢中，
不過我底前胸，在痛，在痛…

我，我在夜牛的 Rio 底橋頭立定，
接受着這將近休息的 Canaval 底歌聲。

哦,這 Gondola 這樣載着我們前去,
當着這迷人的細雨．．．．

哦，這 Gondola 這樣載着我們前去，
當着這迷人的細雨…
你，我對你並沒有甚麼愛和不愛，
我只是喜歡你底臉兒上的這點病態。

44　　威　尼　市　　IX

你一定不是在這兒住家的人，我猜；
但是我只要你能陪我過着這個現在，
我並不願問你到底是不是由別處繞來。
我是只管着這個現在，這個現在…
哦，你底領兒在半敞，半敞，
讓我來把心放在你底頸上！

IX　　威　　尼　　市　　45

其實我把心巳經給了你底眼睛，
但是，你底眼睛卻怎麼似睜不睜！

哦，這 Gondola 這樣載着我們前去，
當着這迷人的細雨…
，你我對你並沒有甚麼愛和不愛，

| 46 | 威 | 尼 | 市 | IX |

我只是喜歡你這不十分健康的身裁.

你大概是決不會在這兒久留,我猜;

但是我只要你使我不空過這個現在,

我並不願問你是不是眞個要和我離開;

我是只管着這個現在,這個現在…

哦,你底裙兒在輕揚,輕揚,

IX　　威　　尼　　市　　47

讓我來把心放在你底膝上！
其實我把心已經給了你底眼睛，
但是，你底眼睛卻怎麼似睜不睜！

我就讓這夜風
　　儘管吹着我中了酒的醉臉，
我底心在跳動，
　　我底身上起着傷感的微顫⋯

我，我願我，我能倒在這兒，卽刻病死，
好借這安靜的月光來收歛我底新屍！

| 50 | 威 | 尼 | 市 | X |

唵,我,我願我,我能倒在這兒,卽刻病死,
好借這溫柔的月光來掩蓋我底新屍!

我把我底醉臉
　仰起來迎着這嫩涼的夜風,
我底身上微顫,

X　　威　　尼　　市　　51

我底心在做着隱痛的跳動…

唵,我,我願我,我倒了下去,在這兒病死,

好借這安靜的月光來收歛我底新屍!

11-Dec

王獨清　著

一九二八年十一月出版。原書三十二開。

1928, 10. 付排

1928, 11, 初版

1——2000册

錄 册 實 價 大 洋 二 角 中

我把我這個新的作品獻給我新的兄

弟們‧

舊的人們喲，你們不要來看！

〔1〕

I

Pon! Pon! Pon! Pon!

——甚麼?這是甚麼?

——沒有甚麼.

—— · · · · ·

Pon! Pon! Pon! Pon!

【 3 】

——甚麽?甚麽?

——眞的!甚麽?甚麽?

Pon! Pon! Pon! Pon! Pon!

——????

——????

——怎麽辦呢?要眞是×××時,怎麽辦呢?

——不會吧,不會吧···

——那是說不定的,前幾天不是已經有人說過

了嗎?

——但是我想不會.

——但是你聽,你聽···

Pon! Pon! Pon! Pon! Pon!···

Pon! Pon! Pon! Pon! Pon!···

pon pon pon pon pon pon···

〔 4 〕

啊,這樣黑的夜,這樣黑的夜!但是,不對,已經變了天明的時候了.不過,總還是黑的,黑的,黑的,甚麼都看不見呢!風又是這樣的大,這樣的大,這樣的大!

但是,看呀!看呀!一片紅的東西冲到半天上了···啊,那一方也是一片···啊,還有,那一方也有一片呢!啊,還有!還有!那兒!還有那兒!···滿天都紅了,紅了,紅了···

是火!是火!

是的,是的,滿天都是火,火,火,火···

火,火···。

〔5〕

好大的風！好大的風！

啊，羣衆底喊聲・・・

啊，羣衆底喊聲・・・

好厲害！好厲害！好厲害！

爆裂，爆裂，爆裂，爆裂・・・

— — — — — — — — — —

！！！！！！！！！！！！！！！

好大的風！好大的風！

天大亮了。

〔6〕

一個教授走在街上，東張西望地像是在探聽甚麼消息。他底兩眼充着血，明明表示他底睡眠不足。他已經沒有他平日夾着書包往大學去上課時的威嚴樣子了！他臉上滿罩着恐慌，他底帽子也沒有戴。

兩個工人走過來了。

教授想要避開‧‧‧

——捉住！捉住！

——唉，你們兩個不是大學裏的校役嗎？

——打！打！打！

——‧‧‧‧‧‧

教授倒下去了。俺，可憐！''Proudhonisme, Durkheimisme, 三‧‧‧三‧‧‧''

——踢開！踢開！我還記得有一次他叫我給他底太太買一疋綢子，我買錯了，他罵我，還把口水唾在我底臉上‧‧‧可是現在，先生！‧‧‧不過他底太太很年青呢，我還有點愛她‧‧‧

——算了，兄弟！‧‧‧走罷！

〔7〕

————唉,走罷!一個教授,一條死狗···教授教授,死狗,死狗···丟他媽的!丟他媽的!···

啊,現在甚麼都可以看見了,甚麼都可以看見了!

風還在刮着,風還在刮着.

朋友,就是這麼一回事!你看,到處都是×旗,×旗,×旗···

晨光是這樣新鮮,太陽也快要出來了.

但是風還在刮着,刮着.

啊,你看,到處都是×旗,×旗,×旗···

風刮着×旗,晨光灑着×旗.

太陽出來了.

太陽照着×旗!

×旗!

〔8〕

✕旗

✕旗！

・ ・ ・ ・ ・ ・

✕

Pon！Pon！・ ・ ・

Ponponponponpon・ ・ ・

羣衆底喊聲，喊聲，喊聲・ ・ ・

——打開！

——打開！

——啊，啊，啊，啊・ ・ ・

羣衆底喊聲，喊聲，喊聲・ ・ ・

——快打開！

——快打開！

〔9〕

————啊,啊,啊,啊···

—— —— —— —— —— ——

Ponponponponpon···

明白了,同志們在打那座監獄呢.

那是甚麼監獄?——陸軍監獄?××局底監獄?

××××部的監獄?···

俺,不管!總之是一座監獄.聽說那裏面有很多

很多的同志,都是×月××日被捉了進去的.

同志們在用子彈射擊那座監獄呢.

射擊!射擊!射擊!

那些守監獄的兵士都睡在地上了.他們慘白的

臉更加慘白起來了.

射擊!射擊!射擊!

· · · · · · · · · ·

〔10〕

同志,出來!同志,出來!

時候到了,我們底時候到了!

同志,出來!同志,出來!

我們管領一切的時候到了!

啊,你看,到處都是×旗,×旗,×旗···

出來!出來!出來!出來!

你看,牆上,你看,電桿上——不過有許多電桿已經被我們燒斷了,但是不要緊,我們可以另栽新的···你看,你看,牆上,電桿上,啊,標語,新的標語,偉大的標語,使資本家驚顫的標語,使舊世界毀滅的標語···

〔11〕

ХХ武裝起來！
打倒軍閥戰爭！

世界ХХХХ聯合起來！
打倒帝國主義！

沒收ХХХХХХ！
土地ХХХХХ

一切ХХХХ歸還ХХ！

〔12〕

標語！

這都是我們底口號呀！但是我們××軍底口號
卻是：

B'don！

哈哈！好個簡單的

〔13〕

　　　　　　　　　　B'don！

哈哈！好個偉大的

　　　　　　　　　　B'don！

哈哈！好個創造中國×××××的

　　　　　　　　　　　　　　　B'don！

B'don！　B'don！　B'don！

——兄弟，這算甚麼！這種犧牲是不能免的呢．

——眞的嗎？

——我們不這樣，怎麼可以肅淸反勳底勢力？·

··我們要從新建築房屋，我們要從新栽起電杆．舊

的不去，新的永遠不會到來的···兄弟，這不算甚

麼！這不算甚麼！

　　　　　　〔14〕

——那麼,好,就這樣做下去罷!

——不過,我們底担負還重得很呢!我們要努力

制死我們一切的讎敵橫行!···不過,你聽!喊聲

又起來了···哦,那是同志們在攻打××一帶的

敵人底機關呢···

—— !

———————————————

〔15〕

B'don!

B'don!

●　●　●　●　●　●　●　●　●　●　●　●

B'don!

★

風還是刮着呢。

〔16〕

今天眞是我們最大的日子，眞是我們光榮的日
子,眞是我們不朽的日子!

今天我們正式用子彈來把中國射擊,射擊!

我們要喚起全中國底同志——300,000,000一
齊起來,這樣射擊,這樣射擊!

起來, 300,000,000¡
起來, 300,000,000¡

風還是刮着呢。

今天!

今天!

〔17〕

〖18〗

II

· · · · · · · · · ·

——現在我要在你底身上踏踏
現在我要把你底頭髮這樣
　　　　扠扠
　　哈哈哈
　　〔19〕

現在我要把你底衣服剝剝

現在我要用槍桿在你大肚子上

　　　戳戳

哈哈哈

· · · · · · · · · ·

——靜些,靜些!

——看這樣大的佈告,這樣大的佈告· · ·

——佈告· · · "· · ·開×××羣衆大會·

· ·"

——我們都去!我們都去!

——不過,這佈告掛在街底中央,倒是從來沒有

見過的呢· · ·

——並且這樣大· · ·

——不要管這些,· · ·我們都去!我們都去!

〔20〕

真的，這個佈告真大！一條又寬又長的白布，上面寫着濃黑的粗字，寫着人站在一千丈以外還可以看得見的粗字‥‥

真的，這個佈告真大！

怎麼？今天怎麼還有風呢？今天底天氣已經是這樣的溫暖了，怎麼還有風呢？

不過今天底風不像昨天那樣的憤怒了，今天是輕快的風，是狂歡的風！

總之今天底天氣真是溫暖——F80°！哦，這可愛的×江邊的冬天！

吹呀，輕快的風，狂歡的風！

吹呀，可愛的×江邊的冬天底風！

佈告在風中翻動，翻動，還發出一種劇烈的聲響‥‥

〔21〕

啊，這樣濃黑的粗字，人站在一千丈以外遠可看得見的粗字！

"…開✕✕✕羣眾大會…"

從來沒有過的大會！

這兒，標語！——這兒，標語！——這兒，標語，——這兒，標語！——這兒，標語！

到處到處到處都是標語，標語，標語…

在這些標語中間，駛過了公共汽車，搬運汽車，普通汽車…

〔22〕

汽車中滿載的是同志，結着×××的同志・・

・

哦，不斷的傳單從汽車中向外飛着，飛着・・・

哦，雨一樣的傳單，花片一樣的傳單，火花一樣
的傳單・・・

哦，滿空中都是傳單，滿地上都是傳單・・・

哦，小的傳單，大的傳單・・・

傳單　　傳單　　傳單

傳單

傳單

傳單

傳單

傳單

傳單

〔23〕

汽車,汽車・・・

有許多汽車從前是資本家專坐的，有許多汽車從前是軍閥專坐的，有許多汽車從前是官僚專坐的，有許多汽車從前是資本家軍閥官僚底太太們專坐的・・・

但是,現在,現在,現在這些汽車滿載着同志,同志・・・

現在，現在這些汽車滿載的是結着×××的同志・・・

同志,同志・・・

同志們在汽車中把傳單向四面丟,丟,丟・・・

同志們在汽車中用勝利的聲浪唱歌，用自由的聲浪唱歌・・・

〔24〕

同志們在汽車中立起，坐下，揮手，跳躍，歡呼·
‥

——起來　饑寒着的奴隷們
起來　世上所有的罪人
· · · · · · · · · · · ·

———————————

標語！
傳單！

＊

———————————

〔25〕

群眾大會．

這兒除了×，再沒有別種顏色了．

×的傳單，×的標語．

同志們結着×××，拿着×旗．

這兒只有×，只有×．

啊，✕ ｜

群眾大會．

現在底太陽纔恢復了牠眞正的顏色了．

太陽底光投在×的傳單上，投在×的標語上．

太陽底光投在群眾團着的演說盞上．

啊，新世界底太陽｜

群眾大會．

××××委員會主席站在演說盞上了．

他 報告這次 推翻資產階級 和軍閥底統治的 經

〔26〕

過。

他演說這次×××××成立的意義。

他申說這次成功的偉大。

他勉勵同志們再繼續鬥爭。

他最後高呼出許多口號:

　　　　　××土豪鄉紳

地主！

　　　　槍斃一切××

××的×××！

　　　　×××聯合萬

歲！

　　　　　　·······

羣衆大會。

一陣一陣的鼓掌聲起來了。

這鼓掌聲響亮得像砲一樣，宏大得像砲一樣。

這鼓掌聲能使軍閥戰慄，地主戰慄，資本家戰

〔27〕

慄．

　　這鼓掌聲傳出偉大的感動，偉大的愉快，偉大的

決心．

　　這鼓掌聲——開過機器的掌聲！拿過鐮刀斧頭

的掌聲！

　　神聖的掌聲！

　　羣衆大會．
　●　●　●　●　●　●　●　●　●　●　●　●　●　●
　　　　　　　　　　　　✕

　　——起來　饑寒着的奴隸們

　　　起來　世上所有的罪人
　●　●　●　●　●　●　●　●　●　●　●

〔28〕

　　——現在我要使你在地上

　　　　　　　　　爬爬

　　　我要來把你底頭髮

　　　　　　　　　　拔拔

　　　現在我要叫你把衣服

　　　　　　　　　　脫脫

　　　我要用槍這樣在你身上

　　　　　　　　　　戳戳

　　——哈哈！

　　——哈哈！

　　——· · · · · ·

　　　　　　　　　✳

Pon！　Pon！　Pon！　Pon！　Pon！

〔29〕

同志們還在不斷地向反革命進攻呢。

啊,不斷地進攻,進攻!

Ponponponponponpon・・・

真正的同志是不休息的!

Ponponponponpon・・・

Pon・・・Pon・・・

Pon・・・Pon・・・

PON

〔30〕

真正的同志是不休息的！

〔31〕

III

　　哦,今天底天氣怎麼忽然變冷了呢！

　　● ● ● ● ● ● ● ● ●

　　哦,風！這使人不能安然地在街上站立十分鐘的

風！

　　● ● ● ● ● ● ● ● ●

　　哦,太陽被這可怕的風捲走了！

〔33〕

‧ ‧ ‧ ‧ ‧ ‧ ‧ ‧ ‧ ‧ ‧ ‧

哦，這變了節的風熄滅了我們底火，並且，把白色又給我們帶回來了！

‧ ‧ ‧ ‧ ‧ ‧ ‧ ‧ ‧ ‧ ‧ ‧

‧ ‧ ‧ ‧ ‧ ‧ ‧ ‧ ‧ ‧ ‧ ‧ ‧

——噢噢，兄弟，完了，我們甚麼都完了‧‧‧

——沒用的東西！我們一時的失敗，就甚麼都要完了嗎？你底尊嚴要緊，至死憤恨你底敵人，憎惡你底敵人罷！

——噢噢，兄弟，只在今天半天以內，同志們已經死了兩千多了‧‧‧

——但是我們是不哭的．我們應該始終用革命的步調踏着死者流血的道路向前猛進！我們要給死者復讐，我們要預備用我們所有的鮮血去換最後必然的勝利！

〔34〕

· · · · · · · · · · · · · · ·

·

哦,聖了節的風給我們把白色帶回來了!

但是,這不要緊!我們終歸有一天要把道白色全部趕走的!

我們雖然死了許多許多,但總不能損傷我們底全數!

我們底全數還是

　　　　300,000,000¡

舊世界,你等着!等明天我們再來火葬你!

〔35〕

埃及人

王獨清　著

世紀書局（上海）一九二九年二月初版。原書三十六開。

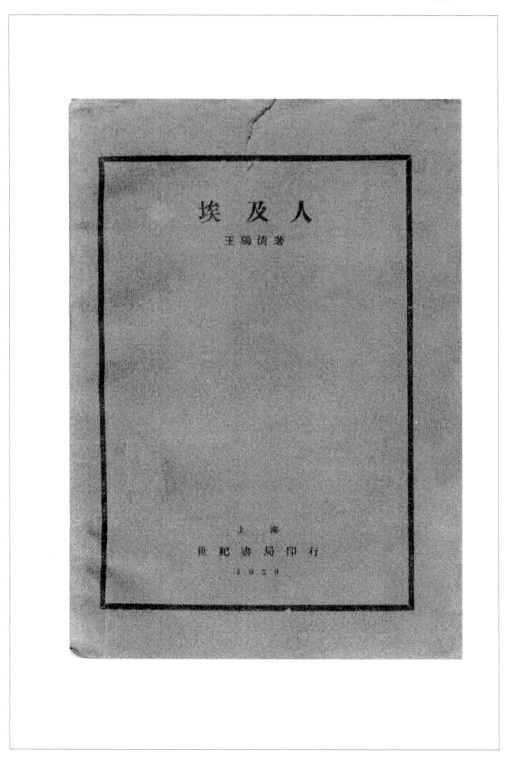

埃及人

王獨清 著

上 海
世紀書局印行
1929

埃　及　人

1928. 12. 20. 付排

1929. 2. 10. 初版

1～1500册

版權所有

每册實價大洋三角五分

目　　　次

一　九　二　九

三　月　二　十　八　日

洛沙，我之能轉變方向，完全是你底力量，

我不知道怎樣纔能向你表示出我對你感激的熱忱！

這幾首舊詩，本不配作呈獻給你的禮物的，

不過，這兒有一兩首已經是我轉變的前夜，

所以，我現在來把牠們大胆地呈獻給你。

洛沙，我望你接受我這番誠意罷！

獨　清

埃 及 人

I

埃及人!

哦你們,

都是穿着寬大的衣服,

頭上裹着各色的包頭,

都赤着脚站在個帆船上,

擧起手非着向來客亂嚷。

哦,你們,你們,你們,

〔 1 〕

你們這些埃及人!

埃及人!

哦,你們,

都是臉上在積着污泥,

無秩序地在岸上聚立:

強把來客圍着不肯走開,

拿出各種的商品來叫賣。

哦,你們,你們,你們,

你們這些埃及人!

II

唉!埃及人,埃及人,埃及人,埃及人!

我對你們是有無限尊敬的熱忱,

難道你們卻只做這樣接客的人?

〔 2 〕

唉！埃及人，埃及人，埃及人，埃及人！

我對你們是抱着個愛慕的眞心，

難道你們卻只能做這樣的商人？

　這樣接客的人！這樣的商人！

　你們使我兩頰漲滿了淚痕···

你們底國土，可不是最古最有名的國土？

你們，不是要算地球上最有歷史的民族？

但是，爲甚現在卻過的是這奴隸的生活？

爲甚現在就甘心去忍辱，就甘心去墮落？

你們就完全不想紀念你們過去的榮華；

你們就眞完全忘記了你們往日的偉大？

知不知道你們應該負創造文明的光榮？

知不知道你們祖先是最初的天才，英雄？

知不知道你們立過人類第一次的信仰？

〔3〕

知不知道你們建過那誇耀盛世的廟堂?

知不知道你們有過最可驚的黃金時代?

知不知道你們底土地有最神聖的餘灰?

哦，爲甚四方底人們都能到你們底土地來弔問，

你們自已卻只在做這樣接客的人，這樣的商人?

. . .

答我罷，埃及人!答我罷，埃及人!

因爲，我尊敬你們，我愛慕你們!

III

咳!埃及人!

我好像聽得尼羅河中發出了一片動人的嗚咽，

又好像看見那最大的斯芬克士在無言地泣血．

. .

〔4〕

　　　　唉！埃及人！· · ·

　　　　唉！埃及人！
我眞想掘開所有一切的金字塔中存留的墳墓，
好抱着那些裹着黃袍的永不朽的屍首去痛哭·
· ·

　　　　唉！埃及人！· · ·

IV

　　去罷，去罷，埃及人！快去罷，埃及人！
　　或是去死，或去喚醒你們底靈魂！

〔 5 〕

歸 不 得

（一個飄泊人底NOSTALGIA）

秋風起了，Populus 已經在動了搖曳。啊，到處都是黃葉，引人傷感的黃葉！

我，飄泊得好像無籍者的我，還是照舊踏着異國底土地，却越發頹唐得不能有一刻的振作，不能有一刻的發揚，在這秋風中抖着兩肩，向着東方遠望。

唉唉，可憐我底心，可憐我底心，——一個

〔7〕

火山底噴口，沒有一個人來過問，只是自己在燒着自己底死骨・・・

不能忘懷的是我底故國：那兒底太陽可還送着溫暖的光輝？那兒底晨風可還漾着柔和的呼息？那兒底天空可還泛着潔淨而深藍的顏色？

不能忘懷的是我底故國：那兒底黃河該不曾改變那偉大的形狀？那兒底揚子江該不曾退減那可驚的汪洋？那兒底萬里長城該不曾磨滅那閃耀着久遠歷史的石山的光芒？

唉唉，可憐我底心，可憐我底心，──一個火山底噴口，沒有一個人來過問，只是自己在燒着自己底死骨・・・

我在大西洋底沙濱上受着浪花底侵濺，我在阿爾布斯底峯下仰望着永不消溶的白雪。但是那浪花不能洗除我底憂憤，那白雪也不能冷

〔8〕

退我胸中鬱積的煩熱！

　　Porthénon 底殘柱下我曾往返徘徊，古羅馬底 Forum 中我也曾躑躅幾回。但是那些過去的文明底墟墓，只使我想念故國的愁病更重了起來！

　　唉唉，可憐我底心，可憐我底心，——一個火山底噴口，沒有一個人過問，只是自己在燒着自己底死骨‧‧‧

　　哦，風呀，向東方吹着的風呀，你帶我去罷！因為這兒不能使我痛快地號哭，因為這兒不能安我底靈魂，因為這兒使我常背着羞辱，因為這兒使我常在依賴中生存‧‧‧

　　地中海底水，你可能通到黃河中去麼？我願跳在你底波下，我願為你波下的魚蝦！

　　‧‧‧‧‧‧‧‧‧‧‧‧‧‧

〔9〕

　　只是秋風起了，我還是踏着異國底土地，要是我再不能歸去，那我便祈禱着這迷天的黃葉，——啊，來，來，來把我這無用的骨骸掩埋，掩埋，掩埋！

〔10〕

Seine河邊之冬夜

　　冷酷的冬夜籠罩了巴黎全城，繁華的都市漸漸地入了寂靜；隱在灰色下的這個近代文明之區，風在繞着嗚咽地悲鳴，悲鳴。這時，行人稀少的 Seine 河邊，有幾個貧民酣眠在敗葉之中。

　　天上的月色有點朦朧，隱約地可看見這幾個人影：都是容顏瘠瘦，都是亂髮蓬蓬，都是褒着件襤褸的短衣，像死了一樣的臥着不動。

　　——啊，兄弟們，你們不冷麼？你們，可是今

〔11〕

天給人家作了一天的苦工，纔買了一瓶紅酒，就坐在這地上痛飲不停，發狂一般的亂叫雜唱以後，倒下去便爛醉不醒？啊，可憐的兄弟們，absinthe 是被他們禁了！再沒有那樣強烈的好酒，使你們得安然作長時間的甜夢！

你們可曾記得那過去的戰爭？你們是怎樣為了故國去犧牲！血泊塗污了你們底兩手，炮烟熏黑了你們底雙髮•••到現在，他們都吼起了"馬賽歌"歡祝得勝，又有誰來管你們這些退了伍的苦兵！

啊，兄弟們，醒些兒罷！你們且傾耳細聽，是那裏淫蕩的笑聲？夜咖啡店內的電火正明，他們正在那兒逞性亂行：短髮的妖女在唱著猥褻的媚歌，黑奴奏著幫助引起肉感的 Chica 的樂器助興•••啊，可憐的兄弟們，你們聽！你們聽！

〔12〕

• • • • • • • • • • • •

　　風儘管是悲鳴，悲鳴，就好像在向人昭示，昭示這近代文明之區是一個罪惡的深坑．但是這幾個兄弟就儘管這樣睡在這兒，睡在這兒，不醒，不醒，不醒，——唉，我，我恨不得，恨不得放起火來，把這繁華的巴黎城，燒一個乾淨！

〔13〕

我歸來了,我底故國!

我歸來了,我底故國!我歸來了,我底故國!

我帶着一種哀愁與歡樂交迸的沉默!

久別重逢的感情來把我底心胸壓迫,

我,我畢竟是歸來了,十年不見的故國!

唵!一切都是依舊,一切都是依舊,一切都是依
  舊,

我想尋出這十年來的改變,但是,沒有,沒有,

〔15〕

沒有！

到處還是這樣被陳廢，頹敗占據，

還是這泥濘的道路，污穢的街衢，

還是這些低矮的房屋，蒸濕的陋巷，

還是無數的貧民這樣橫臥在路旁，

還是這些沿街的乞丐，在曳着代哭的聲音，

還是這許多來往的苦力，身上撲滿着灰塵‥

唵！我夢一般的在這上海市頭信步前行，

不自禁地只是怔忡，只是不寧，只是吃驚‥‥

像這樣的光景，像這樣的光景，像這樣的光景，

教我怎能，不把重逢的快感變成失望的心情！

唵，雖然這兒故國底一切都是依舊，依舊，

〔16〕

可是租界上卻添起了不少的高大洋樓・・・

租界上的街路是異樣的清潔，白晢，

租界上的街樹都栽列得特別整齊，

租界上的娛樂場中，音樂是悠揚，悠揚，悠揚，

租界上的咖啡館中，酒香，煙香，婦女底粉香，

租界上到處都是，到處都是，是富人們出入的酒
　　店，旅館，

租界上富人們底汽車，成隊地停在酒店和旅館
　　底門前，

租界上，租界上的公園緊繞着這租界上的馬路，

租界上的公園，租界上的公園是不准華人涉足

　　・・・

哦哦，租界上的公園，哦哦，租界上的公園，

這樣堅固的鐵門！這樣高大的石灰牆欄！

我知道，我知道當這酷熱的暑天，

〔17〕

公園中一定被濃厚的樹蔭填滿，

涼風由樹蔭中落下，在緩緩，緩緩，

去把遊客們閑坐着的長椅挑遍，

一定有許多的男女在穿着輕薄的衣衫，

都坐在那些長椅上安然地出神，休憩。

但是，但是公園外的太陽像是要曬焦了馬路上
　的地面，

都有許多苦力推着裝土的重車在馬路上掙扎着
　向前；

他們，他們底臉上，胸上，都滿流着熱汗，

他們底步履都艱難得像要跌倒一般‧‧‧

哦哦，公園底石灰牆欄就把內外這樣隔斷，

公園中的涼風呀，總是吹不到這馬路旁邊！

但是馬路上卻也有熱風在不時地來吹，

〔18〕

這熱風只把這馬路上的灰塵陸續吹起。

唵！灰塵，灰塵，灰塵就好像是在故意，故意，

只去撲着那些掙扎着向前的苦力，苦力！

唵！馬路旁的洋樓總是那樣的巍然高立，

那一層一層一列一列的樓窗都在緊閉，

有時盪出了些鋼琴底聲音，放逸，柔媚，

像是在開跳舞的宴會和歡會的筵席。

苦力們卻推着他們底土車經過這些窗底，

他們，他們，他們，哦，汗水，哦，灰塵，哦，污泥，

　污泥・・・

——唵！為甚？為甚？熱風能吹起灰塵，

熱風就吹不動那洋樓底屋頂！

唉，我好像一個，一個神經變了質的癡人，

只在這樣，這樣發着些無謂的癡想；

〔19〕

在這上海市頭，在這上海市頭，在這上海市頭，
我無言無言地只是徬徨，只是徬徨，只是徬徨，
我徬徨地看着這些公園，這些洋樓，這些馬路，
這些往來的外國步兵，這些步兵肩上的長鎗﹒
﹒﹒

我，我看見了這些一隊一隊的外國步兵，
唱着他們底軍歌，在馬路中央開步，立正。
所有這馬路上的行人，行人，行人，
都被禁止着站在兩旁，不能通行。
所有的行人都帶着恐佈，畏懔，
都只在默默地站立，不敢出聲。

〔20〕

外國步兵，好像在無人的境地一樣，邁步前進，
一排一排的鎗頭上的刺刀，刺刀，哦，那樣鮮明！
　　· · ·

俺！黃浦灘，黃浦灘，黃浦灘，
水就是這樣的污濁，可憐！
我伏着這岸上的白漆鐵欄，
想聽一聽這兒江濤底狂翻。
可是這污濁可憐的江面，
不見一點漣漪，一點波瀾！
俺！熱淚是已經把我底兩眼漲滿，漲滿。
——壓着江濤的呀，這些外來的巨砲，兵船！

哦哦，這些外來的巨砲，這些外來的兵船，
壓住了這，這可憐的黃浦江濤，不得流轉· · ·
〔21〕

我覺得，雖然太陽還曬在這黄浦灘前，
可是，這上海已完全變作了慘白一片···

唵！慘白！慘白！上海底一切！上海底所有！
——只除了那馬路上巡捕底紅色包頭！

唉，紅頭的巡捕，巡捕，你們，你們，
你們完全忘記了你們底本身！
你們在馬路上立得這樣的安穩，
不停地用手棍打着運貨的工人···

唵！慘白就蓋住了上海底一切，上海底所有，
——只除了這些打着工人的巡捕底紅色包頭！

〔22〕

· · · · · · · · · · ·

唉唉，這算是我十年不見的愛慕的故國！

這算是我久想踐踏的繁華的上海！

我現在是只有苦痛的沉默，苦痛的沉默，

我，我恨不曾死在那流浪的海外！

我親着這兒慘白的地土，

我底心卻像是在被烈火掩埋！

像這樣的故國於我何有？

只向我送着無限的失望，悲哀···

我祈禱這些馬路上被巡捕打着的工人，

我祈禱那些被灰塵撲着的苦力，

我熱烈地祈禱他們，我熱烈地祈禱他們，

祈禱他們更換這兒慘白的色澤！···

——哦，起來，起來，起來，起來，起來，

〔23〕

把這慘白的故國破壞！破壞！

〔24〕

留　　　別

（獻給同情於我的廣州底諸青年同志）

走了，走了，我這個有心臟病的流浪人！
你們，你們是永遠在牽留着我底靈魂！
現在正是迫人的冬天到臨了的時節，
但是這兒南國底暮風還帶着些微熱。
我心中充滿了惜別的，留戀的感情，
用我這悽愴的誠意來給你們辭行。

〔25〕

我對你們懷抱着一種不能言說的希望，
因為你們住的是這不朽的人豪底故鄉．
啊，這不朽的人豪底故鄉，使我留連，低徊，
我留連這兒底殘蹟，我低徊這兒底刼灰！
聽說那不朽的人豪曾在這刼灰中流離；
他為了保民族底自由，決然地視死如歸‧‧‧

這滿崗底黃花都已隨着季候散落，
散落了的黃花已被送上塵土埋歿；
太陽還拖着迷人的灰白的淡光，
在唆着這兒冷了的黑色的長江．
我哭不醒這兒失去的偉大英魂，
我只有掉轉了淚眼，啊，望着你們！

我是生成的不能醫治的憂鬱性情，

「26」

送行的烈酒也熱不起來我底神經。

我來在這兒巳滿了一年的光陰，

一切都能死去只有這紀念長存。

要載我去的客船巳經停泊在冬天底霧裏，

我給你們最後的贈言：努力，努力，努力，努力！

我是在用悽愴的誠意來給你們餞行，

我底心中充滿了留戀的惜別的感情。

現在雖然是冬天底霧色到臨了的時節，

可是這兒南國底暮風卻總帶着些微熱。

你們，你們眞是永遠在牽留着我底靈魂，

啊，走了，走了，我這個有心臟病的流浪人！

〔27〕

別　廣　東

I

霧濛濛的陰雨滿天，
無數的帆船都擺列在岸邊，
我沒有一個人陪伴，
獨提着破舊行囊快要上船。

唵，一年的光陰迅速，
我在這兒的一年已經到頭！

〔29〕

到現在是只有一走，
在這實在無可奈何的時候！

我底身上起了寒慄，
我底心中已經凄涼到萬分，
我一面蹣跚着前進，
一面想我丟在這兒的光陰。

俺，說起來不堪回想，
我在這兒眞是空忙了一場！
結果一切還是原樣，
反使我落了個這樣的逃亡！

II

我來時這兒底天氣是正在宜人，

〔30〕

好像不像現在這樣的昏昏沉沉；

我來時這兒有溫暖可愛的陽光，

好像不像現在這樣的悽慘，荒涼；

我來時這兒山原上正草色青青，

好像不像現在這樣的一片凋零；

我來時這兒底江流正綠水漣漣，

好像不像現在這樣的溷濁不堪；

我來時這兒到處開着好花天天，

好像不像現在這樣的滿目蕭條：

總之我來時，我來時這兒一切的甚麼，甚麼，甚
麼，甚麼，

都像不像現在這樣的令人傷感，令人難過，令人
寂寞！‧‧‧

唵！我來時，這兒正是新時代的都城，

到處都正佈滿着偉大的革命呼聲．

〔31〕

到處都浸滿着新的期盼，新的希望，

人人都說這兒是，革命策源的地方。

人人都說這兒要創造我們底光榮，

我們被壓迫階級底解放就要成功。

我們那時眞要改變這東方的大陸，

舊社會的他們，都已經表示了屈服。

舊社會那時眞要在我們眼前崩潰，

那時我們都預備着高呼勝利萬歲。

那時我們是東方革命的重要先鋒，

全世界都注視着這兒，——哦，你這廣東！

唵！但是現在去罷，當這冷酷的侵人的冬天！

唵！這冬天，帶着恐怖的白色，罩在我底眼前！

一切都囘復了從前的沉悶和從前的混沌，

這突然之間，怎麼便變換得這樣的使人痛心！

〔32〕

* * * * * * * * * * * *

III

再見，廣東！再見，廣東！再見，廣東！

不知道我和你何時再能相逢！

不過我相信你是決不會永遠地這樣存在，

你總有一天會把這白色趕去，——我也會再來！

哦，再見，再見，再見！

現在我抑着我底悲哀，等候和你再見，

我希望再見你時，是血旗飄揚的一天，

血旗飄揚的一天！

IV

廣東，廣東，廣東，

快紅！快紅！快紅！

〔33〕

香 港 之 夜

黑夜已罩在了海上，

一切都在晦中隱藏．

誘人的是這天上的星斗和對岸底燈光，

輝煌，輝煌，輝煌・・・

我一個人站在船上，

唵，我不知道是飄泊還是逃亡？

黑夜已罩在海上，

一切都在晦中隱藏．

〔35〕

只有那些遠處的帆船還在隱隱地動蕩：

　　渺茫，渺茫，渺茫‧‧‧

　　我一個人站在船上，

　　唵，我不知道是飄泊還是逃亡？

〔36〕

五卅喲···

五卅喲，我們為你死罷！

在這租界上南京路高大的公司前面，

三年前的血痕像鋪在地上，還沒有乾···●

五卅喲，我們為你死罷！

這些三年前殺人的巡捕，殺人的巡捕，

還是在拿着他們底手棍，往來地閒走···

五卅喲，我們為你死罷！

〔37〕

我們雖然是已經奮鬥了很長的三年，

可是，可是這兒還是這樣依然，依然・・・

五卅喲，我們爲你死罷！

這租界，還是那三年前，三年前的租界，

這一切，還是那三年前，三年前的一切・・・

五卅喲，我們爲你死罷！

三年，三年是這樣很快地，可怕地經過，

來屠殺我們的兇手又添了許多，許多・・・

五卅喲，我們爲你死罷！

這馬路上是添了許多的外國底步兵，

內地也添了許多帮這些步兵的軍人・・・

〔38〕

五卅喲，我們爲你死罷！

現在，現在到處都已變成了一片慘白，

太陽也好像是完全失掉了牠底顏色···

五卅喲，我們爲你死罷！

我們在這兒宣誓：要繼續地進攻，進攻，

要再用我們底熱血來把這上海染紅···

五卅喲，我們爲你死罷！

不管這兒汽車怎樣一隊一隊地走過，

我們總要，總要放他一把破壞的烈火···

〔39〕

— 47 —